UN MOT AUX PARENTS

Lorsque votre enfant est prêt à aborder le domaine de la lecture, *le choix* des livres est aussi important que le choix des aliments que vous lui préparez tous les jours.

La série **JE SAIS LIRE** comporte des histoires à la fois captivantes et instructives, agrémentées de nombreuses illustrations en couleurs, rendant ainsi l'apprentissage de la lecture plus agréable, plus amusant et plus en mesure d'éveiller l'intérêt de l'enfant. Un point à retenir : les livres de cette collection offrent *trois niveaux* de lecture, de façon que l'enfant puisse progresser à son propre rythme.

Le **NIVEAU 1** (préscolaire à 1re année) utilise un vocabulaire extrêmement simple, à la portée des très jeunes. Le **NIVEAU 2** (1re - 3e année) comporte un texte un peu plus long et un peu plus difficile. Le **NIVEAU 3** (2e - 3e année) s'adresse à ceux qui ont acquis une certaine facilité à lire. Ces critères ne sont établis qu'à titre de guide, car certains enfants passent d'une étape à l'autre beaucoup plus rapidement que d'autres. En somme, notre seul objectif est d'aider l'enfant à s'initier progressivement au monde merveilleux de la lecture.

LES DINOSAURES

Texte de Joyce Milton
Illustrations de Richard Roe
Traduit de l'anglais par
Marie-Claude Favreau

Niveau 2

Dépôts légaux: 1er trimestre 1988
Bibliothèque nationale du Québec
Bibliothèque nationale du Canada
ISBN: 2-7625-4918-3 Imprimé au Canada

LES ÉDITIONS HÉRITAGE INC.
300 Arran, Saint-Lambert, Québec J4R 1K5
(514) 672-6710

De nos jours, il n'y a plus
de dinosaures.
Plus un seul.
Mais parfois, on trouve
des os de dinosaures.

Les os sont comme les
morceaux d'un casse-tête.
Une fois assemblés,
voici à quoi ressemblait
un dinosaure.

Le mot <u>dinosaure</u> est formé
de deux mots grecs
qui signifient
«terrible lézard».

Il y a des millions d’années,
les dinosaures étaient
les maîtres du monde.

Au temps des dinosaures,

les humains n’existaient pas.

Ni les chiens, ni les chats.

Ni les chevaux, ni les vaches.

Quels animaux existaient?

Les tortues.

Les crocodiles.

Les poissons.

Les libellules.

Le climat de la Terre

était très chaud

et très humide.

Un des premiers dinosaures

à vivre sur la Terre

était le Saltopus.

Le Saltopus vivait près des rivières. Ces cours d'eau étaient pleins de crocodiles géants.

Lorsque ces géants avaient faim,
ils chassaient le Saltopus.
CLAC! CLAC! faisaient leurs
mâchoires. Alors le Saltopus
se levait sur ses fortes pattes
de derrière et se sauvait
aussi vite qu'il pouvait.

Le Saltopus était rapide.

Il pouvait courir et bondir.

C'est de là qu'il tire son nom.

Saltopus signifie «pied sauteur».

Le Saltopus était un petit dinosaure.
Environ la taille d'une poule.
Mais il y avait des dinosaures
de toutes les tailles.
De très petits
et aussi
de très très gros.

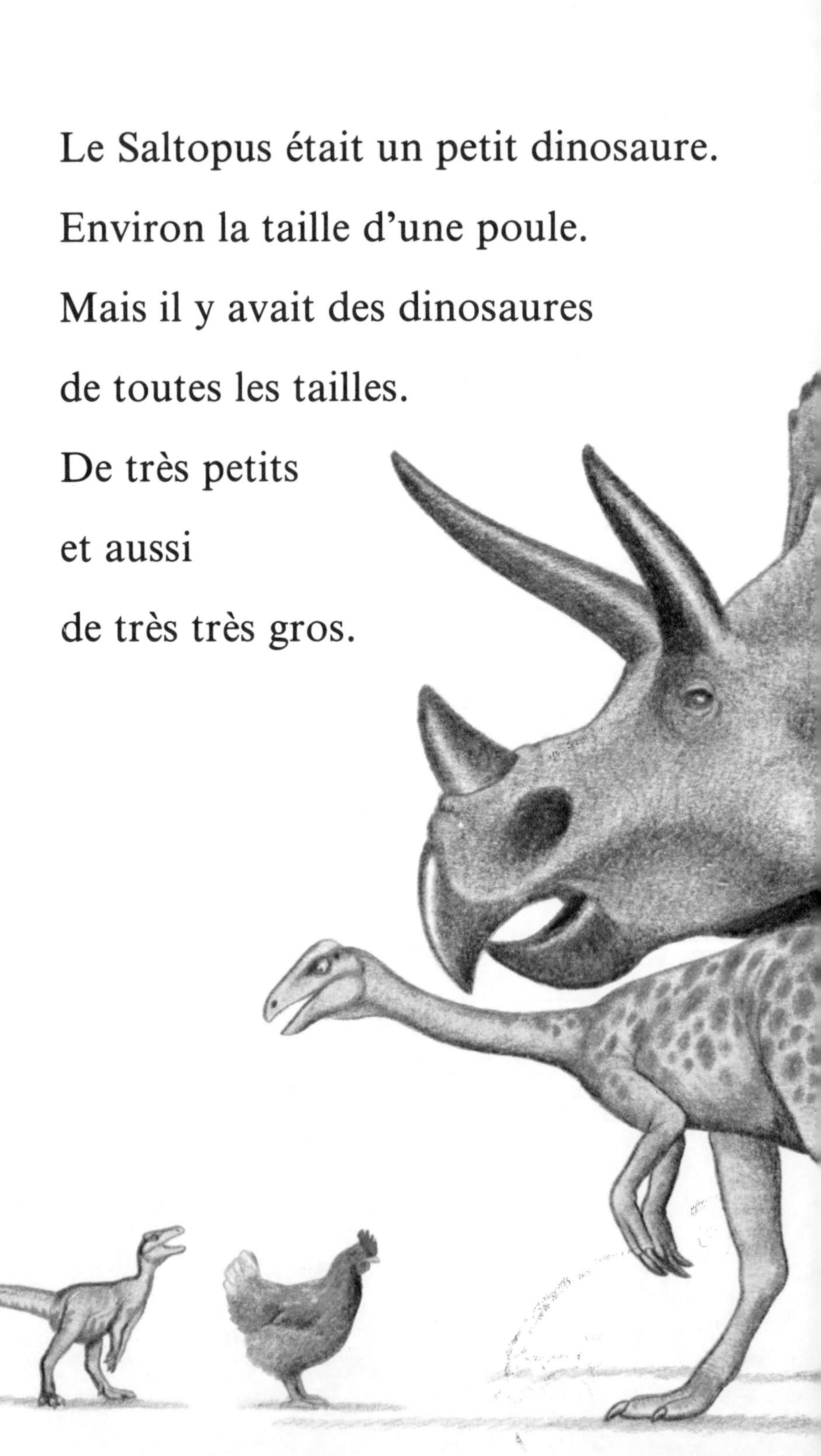

Un des plus gros
était le
Brontosaure.

Il était aussi gros
qu'une maison, plus long
que deux autobus,
et aussi lourd
que cinq éléphants!

Le nom Brontosaure

signifie «lézard-tonnerre».

Quand le Brontosaure marchait,

ses grosses pattes lourdes

faisaient un bruit de tonnerre.

Il mangeait des plantes.Et quel

appétit!

D'autres dinosaures,
comme l'Allosaure,
préféraient la viande.
C'était des carnivores.

Quand un dinosaure carnivore

se présentait, que faisait

le Brontosaure?

Il pouvait au moins se cacher.

Où? Sous l'eau!

Ce dinosaure était gros et lent.

Il ne pouvait ni courir ni se cacher.

Mais il n'en avait pas besoin!

Son dos était couvert
de plaques épaisses
et sa queue, pleine
d'épines pointues.
C'est le Stégosaure,
ce qui veut dire
«lézard couvert».
C'était l'un des plus
anciens dinosaures.

Tous les dinosaures n'ont
pas vécu au même moment.
Les plus anciens,
tel le Brontosaure,
ont péri
et d'autres les ont
remplacés.

Certains dinosaures ressemblaient

un peu à des canards.

On les appelle dinosaures

à bec de canard.

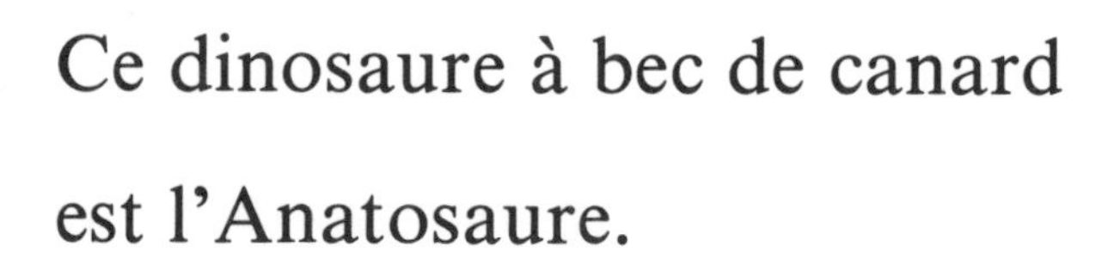

Ce dinosaure à bec de canard
est l'Anatosaure.
Ce qui signifie
«lézard canard».

L'Anatosaure avait
deux mille dents!
Il s'en servait pour
broyer les plantes.

Quel dinosaure avait

les plus grosses dents?

Le Tyrannosaure.

Ses dents étaient aussi longues
que des crayons et très aiguisées.
Ce dinosaure était le roi
des chasseurs.
Que chassait-il?
D'autres dinosaures!

Certains dinosaures
pouvaient se défendre
contre le Tyrannosaure.
Celui à droite avait des
plaques dures sur le dos
qui lui servaient d'armure.
À l'approche du danger,
il se mettait en boule.

Ce dinosaure s’appelle

l’Ankylosaure.

Il avait aussi une

très forte queue

qu’il pouvait utiliser

comme une matraque.

Ce dinosaure se servait
de ses cornes pointues
pour attaquer.
Quand il fonçait,
tous les autres fuyaient.

C'est le Tricératops.

Ce mot veut dire

«tête à trois cornes».

Il y a beaucoup de choses qu'on ne sait pas sur les dinosaures. On pense que la plupart d'entre eux étaient bruns ou verts, mais on n'en est pas sûr. Peut-être que certains étaient très colorés.

Nous savons comment

naissait un dinosaure.

Il sortait d'un oeuf,

comme un bébé oiseau!

Certains oeufs étaient

gros... plus gros qu'un

ballon de football.

Mais d'autres avaient la

taille d'une pomme de terre.

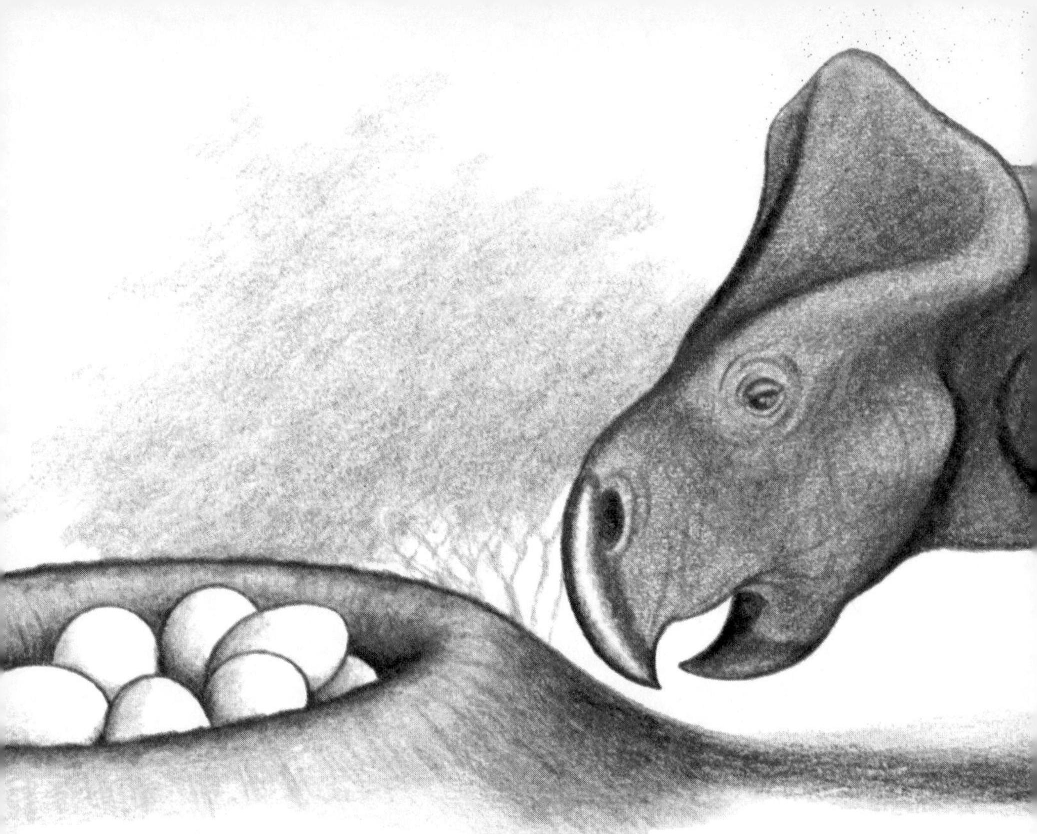

Voici le Protocératops.

La maman Protocératops

faisait son nid dans le sable.

Elle y déposait plusieurs oeufs

à la fois. S'asseyait-elle

sur ses oeufs? Probablement pas.

Elle était trop lourde,

elle les aurait cassés!

À la naissance,
les bébés étaient
très petits.
Tu aurais pu prendre
un bébé Protocératops
dans tes mains.

Au temps des dinosaures,
d'étranges animaux
habitaient l'océan.
C'était de véritables monstres
marins. Certains ressemblaient
à des dinosaures.

Mais ce n'était pas des dinosaures. On les appelle Plésiosaures.

Ils avaient un long cou qui les aidait à attraper des poissons.

D’autres animaux
bizarres volaient
dans le ciel.
L’un d’eux était
le Ptéranodon.
Il n’était pas plus gros
qu’un dindon. Mais ses ailes
étaient aussi larges que
celles d’un petit avion.

Le Ptéranodon survolait les mers.

Il se posait sur la crête des vagues.

Quand il prenait son vol,

il s'élançait dans le vent,

tel un planeur.

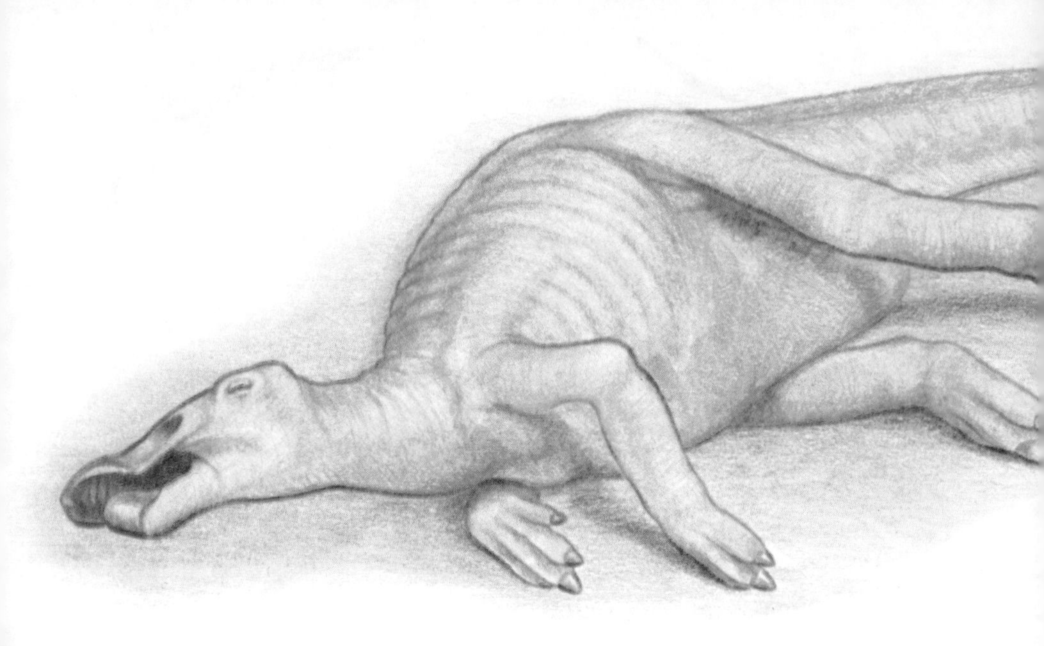

Les dinosaures ont existé
pendant des millions
et des millions d'années.
Et puis, ils ont disparu.
Qu'est-ce qui les a tous tués?
La température sur la Terre est
peut-être devenue trop chaude.
Peut-être qu'ils n'ont plus trouvé
la nourriture qu'il leur fallait.

Peut-être aussi que d’autres
animaux ont mangé leurs oeufs.
Certains pensent qu’une comète
aurait causé leur mort
en s’approchant trop près
de la Terre.

Personne ne sait ce qui
s'est vraiment passé.
Mais d'autres animaux
ont pris la place
des dinosaures.

Le temps des dinosaures
était fini pour toujours.